MW01025935

Este

MONSTRUO

me suena...

This

MONSTER

Rings a Bell...

Este MONSTRUO me suena...

GABRIELA KESELMAN • EMILIO URBERUAGA

This MONSTER Rings a Bell...

Voy caminando tan tranquilo por el pasillo
y, de repente, no sé de dónde,
aparece un monstruo.
No es la primera vez que lo veo.
El caso es que me resulta conocido.
Por eso, no me asusto ni un poquito.
Aunque la verdad, gracia no me hace.

So I'm walking down the hallway minding
my own business when out of nowhere
a monster appears.
It's not the first time I've seen him,
he looks familiar,
and that's why I'm not even the least bit scared.
Even though, truthfully, I don't like what I see.

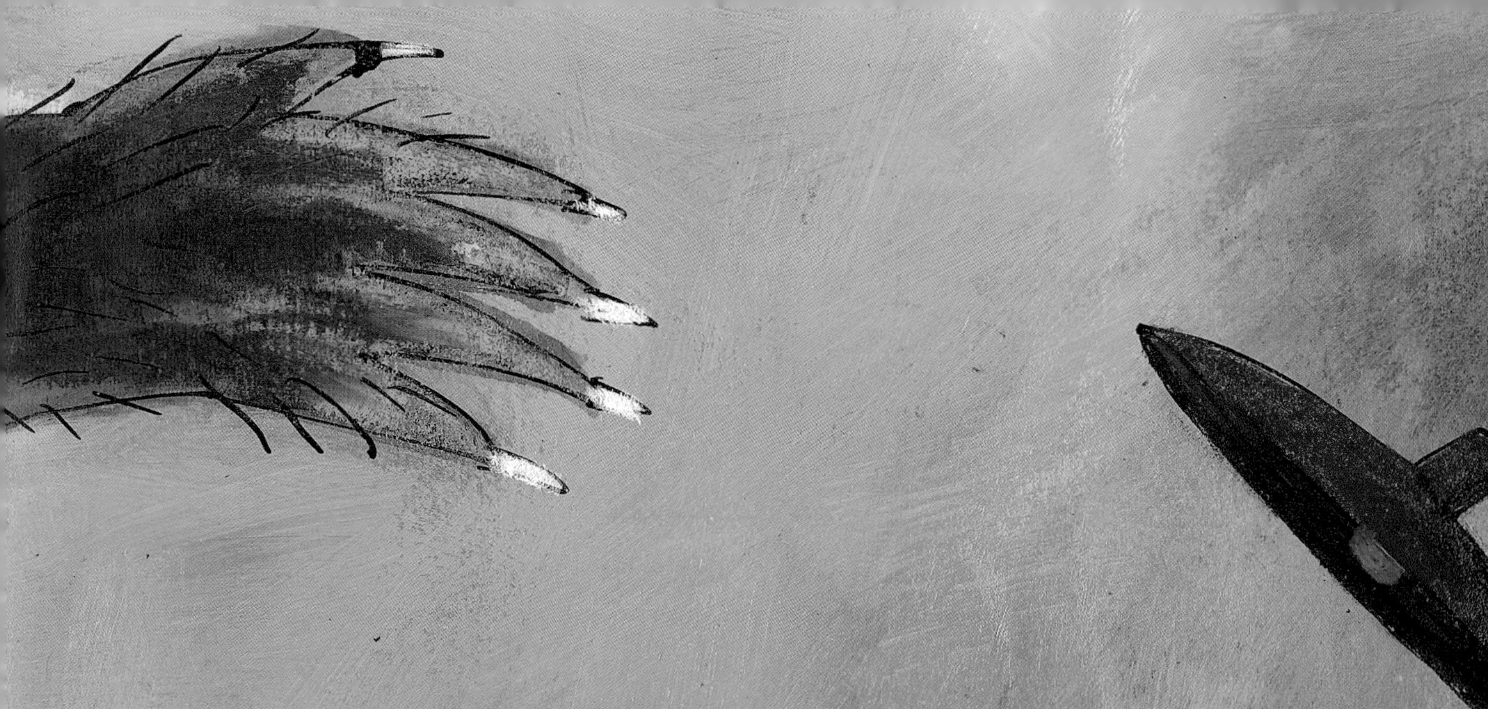

El monstruo me quiere agarrar, pero yo soy muy rápido
y me escapo corriendo.
Claro que él es más grande...
Bueno, es ENORME, y encima es terco como él solo.
Se empeña en perseguirme.
"¿No tendrá otra cosa que hacer?" me pregunto.

The monster wants to grab me, but I'm really fast
and I run away.
Of course he is bigger...
He's ENORMOUS, really, and on top of that he's as stubborn as can be.
He won't stop chasing me.
Doesn't he have anything better to do?

**Salto, lo esquivo, lo mareo un poco,
pero al fin me alcanza.
Me agarra por los brazos
y me levanta por el aire.
Le digo que me suelte
o le voy a dar un rodillazo en esa panza gorda que tiene.**

*I jump, I squirm, I make his head spin a bit,
but finally he grabs me by the arms,
and lifts me up into the air.
I tell him to let me go,
or else I'll knee him in his big monster belly.*

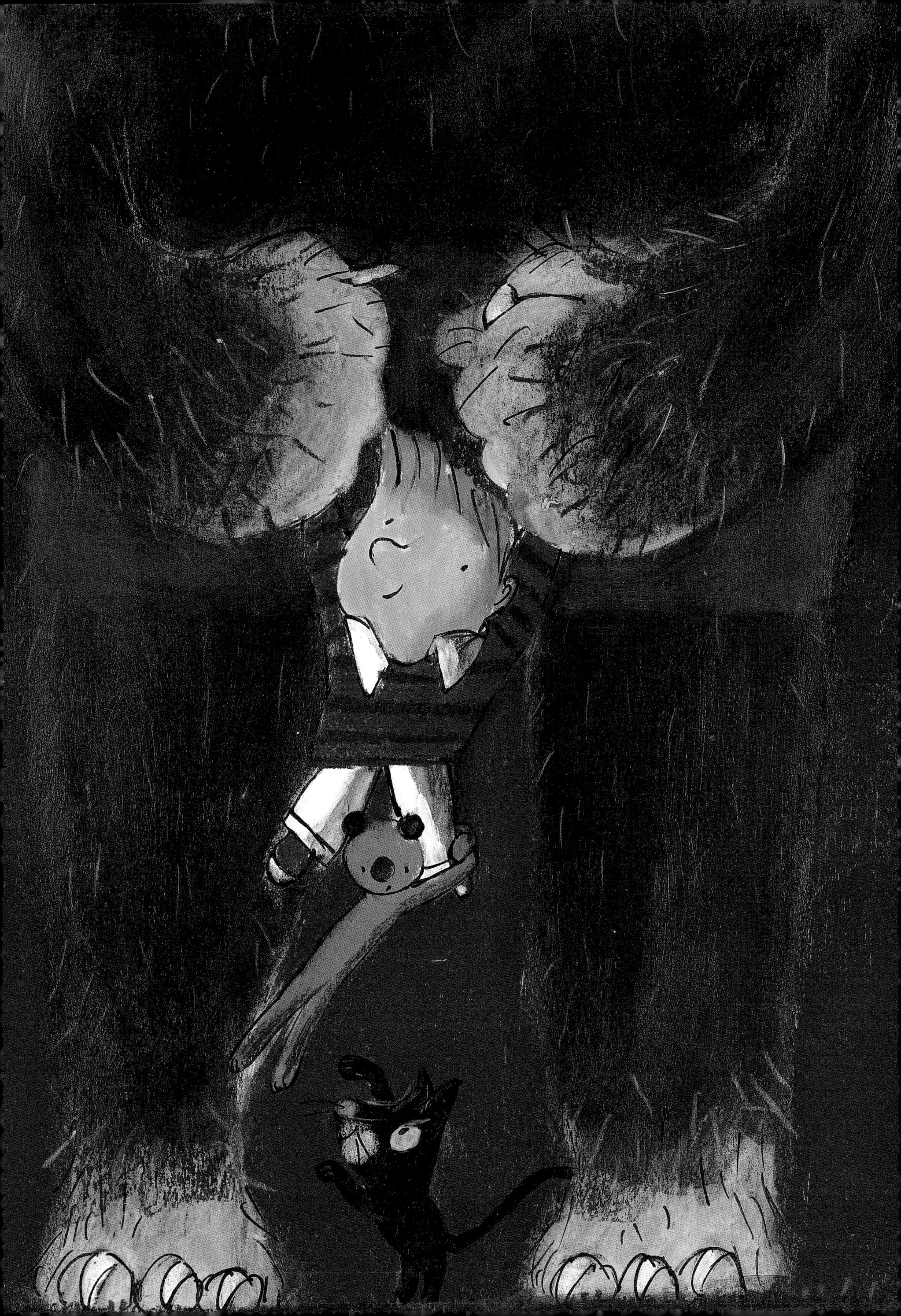

Él se ríe y me lleva derechito a su guarida.
Dentro hay vapor por todos lados y no puedo ver nada.
Hace un calor tremendo.
No sé cómo puede aguantarlo.

He laughs and takes me straight to his hideout.
There's steam everywhere and I can't see a thing.
It's very hot.
I don't know how he can stand it.

No tengo miedo. Lo que me molesta es que un monstruo
me atrape sin razón.
Le digo que prefiero ir a jugar, pero se hace el sordo.
Me mete en una olla gigante llena de agua caliente.
Está claro que me quiere merendar.

I'm not scared. Really. What bothers me is that a monster
captured me for no good reason.
I tell him that I'd rather go and play, but he pretends not to hear.
He puts me in a huge pot of hot water.
It's obvious that he wants me for a snack.

**Entonces, yo empiezo a salpicar con el agua
para ver si lo espanto.
Pero al muy bruto no le importa.
Se queda así, tal cual, completamente mojado.**

*So I start splashing the water
to see if I scare him.
The big brute doesn't care.
He just stands there soaking wet.*

Me echa una especie de natilla por la cabeza.
Justo a mí, que ni siquiera me gusta como huele.
Si por lo menos fuera de chocolate...
Remueve la natilla con sus manazas.

He puts some kind of custard on my head,
and just my luck, I don't even like how it smells.
At least if it were chocolate...
He mixes the custard with his giant paws.

Me doy cuenta de que este monstruo no tiene ni idea de cómo cocinar.
Estoy seguro de que en vez de azúcar, le echó pimienta a la natilla.
Según la natilla se derrite, se me mete en los ojos y pica muchísimo.
Pica tanto que empiezo a gritar bien fuerte.

I realize that this monster has no idea how to cook.
I'm sure he put pepper instead of sugar in the custard.
As the custard starts melting it gets in my eyes and really stings.
It stings so much that I start to scream.

Algunos monstruos huyen si uno les grita.
Este monstruo no. Va y se pone a cantar, aunque yo no veo que sea momento para cancioncitas.
Piensa que así me voy a distraer. ¡Ja!
Yo, para molestarlo, le digo que desafina un montón y que esas canciones son muy antiguas...

Some monsters run away if you yell at them.
Not this monster, though. He just starts singing.
It doesn't seem to me like this is the time for silly songs.
Maybe he thinks the singing will distract me. Ha!
I try to hurt his feelings. I tell him he is way off key and that his songs are very old...

Fue un buen ataque...
Pero no sirvió de nada y de nuevo se ríe mucho.
Al final, me saca la natilla de la cabeza,
echándome agua.
Me da lástima, pobre.
Le salió mal la receta.
Bueno, por lo menos puedo abrir los ojos
para ver cómo me devora mezclado con patitos fritos.

It was a good try...
but it didn't work and he just starts to laugh out loud.
Finally, he gets the custard off by pouring water over my head.
I feel bad for the poor guy.
I guess his recipe went sour.
Well at least I can open my eyes
to see how he eats me with fried ducklings.

Cuando cree que ya estoy listo,
me saca de la cazuela
y me sienta en un taburete.

When he thinks I am ready
he lifts me out of the pot,
and he sits me on a stool.

¡Eh! ¿Qué pasa aquí?
Me da un pijama para que no me enfríe.
Y entonces me abraza fuerte y se ríe mucho otra vez.
—Y ahora que estás limpito, Eugenio —dice el monstruo—,
¡te voy a comer a besos!

—¡Papá! —grita Eugenio.
Ya decía yo que este monstruo me era familiar.
Ahora yo también me río mucho.
Como hago todos los días.

Hey, what's going on here?
He gives me a pair of pajamas so I don't get cold.
Then he hugs me tight and laughs again.
«And now that you're clean Eugene,» the monster says,
«I'm going to gobble you up with kisses!»

«Dad!» shouts Eugene.
I thought this monster looked familiar.
Now I laugh a lot, too,
just like I do everyday.

Nació en Buenos Aires y vive desde hace años en Madrid. Trabajó con niños en escuelas, hizo teatro infantil y fue redactora en la revista *Ser Padres Hoy*. Hasta que un día empezó a escribir cuentos y ya no paró. Ha publicado unos 40 libros en España, Argentina, México y Estados Unidos. En La Galera tiene varios títulos más: *El Regalo, ¿Por qué?* y *Pataletas*.

GABRIELA KESELMAN

She was born in Buenos Aires and has been living in Madrid for many years. She has worked with children in schools, and has done children's theatre. She wrote for a parenting magazine called Ser Padres Hoy. *One day, she started writing children's stories and she hasn't stopped til this day. She has published over 40 books in Spain, Argentina, Mexico and the United States. Other titles published with La Galera are:* El Regalo, ¿Por qué? *and* Pataletas.

Nació en Madrid en 1954. Se dedica a la ilustración desde hace veintidós años. Ha sido el creador del personaje gráfico de Manolito Gafotas. Muchas de sus obras han sido traducidas a otras lenguas.

EMILIO URBERUAGA

He was born in Madrid in 1954. He has been illustrating for 22 years. He is the creator of Manolito Gafotas. Many of his works have been translated into other languages.

PRIMERA EDICIÓN enero de 2005

DISEÑO GRÁFICO Cass

COORDINACIÓN EDITORIAL Laura Espot

DIRECCIÓN EDITORIAL Lara Toro

TRADUCCIÓN AL INGLÉS Janis Greenspan

ADAPTACIÓN DEL CASTELLANO Teresa Mlawer

DEPÓSITO LEGAL B-42.668-2004

ISBN 84-246-3015-7

IMPRESIÓN
Tallers Gràfics Soler, SA
Enric Morera, 15
08950 Esplugues de Llobregat

IMPRESO EN LA UE

LA GALERA, SA EDITORIAL
Diputació, 250
08007 Barcelona
http:// www.editorial-lagalera.com
lagalera@grec.com